COLEÇÃO
SAÚDE & BEM-ESTAR

VOLUME 1

DEPRESSÃO
Desenvolva o autoc

São Paulo
2020

Grupo Editorial
UNIVERSO DOS **LIVROS**

© 2020 by Universo dos Livros

Todos os direitos reservados e protegidos pela Lei 9.610 de 19/02/1998.

Nenhuma parte deste livro, sem autorização prévia por escrito da editora, poderá ser reproduzida ou transmitida sejam quais forem os meios empregados: eletrônicos, mecânicos, fotográficos, gravação ou quaisquer outros.

Diretor editorial: Luis Matos
Gerente editorial: Marcia Batista
Assistentes editoriais: Letícia Nakamura e Raquel F. Abranches
Preparação: Marina Constantino
Revisão técnica: Yone Fonseca
Revisão: Tássia Carvalho
Arte: Valdinei Gomes
Capa: Vitor Martins

Aviso: Este livro contém informações que visam auxiliar o paciente sob tratamento médico e/ou terapêutico. Nenhuma das informações aqui contidas substitui o acompanhamento de um profissional especializado.

Dados Internacionais de Catalogação na Publicação (CIP)
Angélica Ilacqua CRB-8/7057

D47

Depressão : desenvolva o autocuidado mental / Universo dos livros. – São Paulo : Universo dos Livros, 2020.
32 p. (Saúde & bem-estar ; vol. 1)

Bibliografia
ISBN 978-65-5609-011-5

1. Depressão mental - Obras populares 2. Saúde mental

20-4172   CDD 616.895

Universo dos Livros Editora Ltda.
Avenida Ordem e Progresso, 157 – 8º andar – Conj. 803
CEP 01141-030 – Barra Funda – São Paulo/SP
Telefone/Fax: (11) 3392-3336
www.universodoslivros.com.br
e-mail: editor@universodoslivros.com.br
Siga-nos no Twitter: @univdoslivros

SUMÁRIO

INTRODUÇÃO 5
O QUE É? 7
SINAIS DE DEPRESSÃO 9
SINTOMAS 11
    Sintomas mentais possíveis 11
    Sintomas físicos possíveis 12
TIPOS DE DEPRESSÃO 13
    Episódio depressivo (ou depressão casual) 13
    Distimia 13
    Depressão profunda (Transtorno depressivo maior) 13
    Depressão atípica 14
    Depressão pós-parto 14
    Depressão psicótica 15
    Transtorno afetivo sazonal 15
    Depressão bipolar 15
    Depressão adolescente 15
    Depressão infantil 16
    Depressão na menopausa 16
    Transtorno disfórico pré-menstrual (TDPM) 16
    Depressão reativa 16
DIAGNÓSTICO 17
COMO AJUDAR ALGUÉM COM DEPRESSÃO 18
TRATAMENTO 20
SINAIS DE RECUPERAÇÃO 24

COMO EVITAR RECAÍDAS 25
APLICATIVOS 26
    Flow - Depression 26
    Querida ansiedade 26
    Cíngulo - Terapia Guiada 26
    Cogni 26
    7 Cups - Ansiedade e estresse 27
ALIMENTOS 28
REFERÊNCIAS BIBLIOGRÁFICAS 30

INTRODUÇÃO

A depressão não é chamada de "mal do século" por acaso. Em um mundo cada vez mais agitado, globalizado, conectado e que nos bombardeia com muitas informações e sensações, a depressão surge como um efeito colateral bastante perigoso.

Um de seus principais sintomas, a tristeza, faz parte da vida do ser humano. Ela está presente em momentos como a morte de um ente querido, o diagnóstico de uma doença grave, o término de um relacionamento, a perda de um emprego etc. No entanto, se por um lado é normal sentir tristeza em determinados momentos da vida, por outro, a depressão é uma condição contínua e potente.

A depressão, ou transtorno depressivo, envolve uma família de doenças, por isso é designada como síndrome ou doença psiquiátrica crônica. Provoca um sentimento de tristeza profunda, perda de interesse e do prazer em atividades cotidianas e dificuldade de concentração; gera sintomas e outras doenças na parte física do corpo, interferindo comumente no apetite e na saúde do sono; também causa baixa autoestima e recorrência de pensamentos negativos, que podem evoluir para pensamentos sobre morte e ideação suicida.

A depressão afeta cada vez mais a sociedade como um todo, e por isso tem estado crescentemente no centro das discussões sobre saúde mental, sendo considerada um dos maiores problemas de saúde da atualidade. Ela ataca devagar, pode ser confundida com outras doenças e, apesar de ser responsável por muitas mortes em todo o mundo, anualmente, seus efeitos e sua própria existência ainda são minimizados por muitas pessoas, já que ainda existe muito preconceito e desinformação sobre o assunto.

Segundo dados da Organização Mundial da Saúde (OMS), estima-se que 5,8% da população brasileira sofra de algum grau de depressão, o que torna o Brasil o país latino-americano mais afetado pela doença, e o segundo entre as Américas, ficando atrás somente dos Estados Unidos. Em 2016, mais de 75 mil trabalhadores brasileiros foram afastados do trabalho em decorrência de casos de depressão, o que equivale a 37,8% do total dos motivos de licença laboral.

Mas a depressão pode ser combatida e vencida. *Depressão: desenvolva o autocuidado mental* não aborda somente os sintomas da doença, mas também mostra possíveis grandes aliados no tratamento, como aplicativos para celular e alimentos saudáveis. Além disso, este livro orienta como buscar ajuda médica e psicológica, pois somente profissionais especializados estão aptos a fornecer tratamento adequado na luta contra a depressão.

Veja nas próximas páginas como reconhecer e combater esse inimigo invisível.

O QUE É?

A depressão é uma doença psiquiátrica crônica. Possui sintomas semelhantes com relação à tristeza, mas, à diferença desta, que passa com o tempo ou com a resolução de sua causa, a depressão persiste, trazendo sofrimento significativo ao cotidiano da pessoa, e pode experimentar pioras se não houver tratamento. Ela é classificada em três estágios: leve, moderada e grave.

Quando um indivíduo está com depressão, diversas funções de seu corpo são profundamente alteradas, incluindo o sono, a disposição, os cuidados pessoais e a relação com outras pessoas.

É uma doença que pode surgir em qualquer idade. Embora mais frequente na fase adulta, vem se tornando cada vez mais comum entre os jovens, sendo desencadeada por motivos como baixa autoestima, recorrência de conflitos familiares, desempenho escolar reduzido e perdas. Apesar de qualquer pessoa estar sujeita a desenvolver essa doença, há fatores que podem contribuir para o seu aparecimento. São eles:

- Doenças crônicas ou graves, como diabetes, câncer, doenças cardíacas, Covid-19, aids e doença de Parkinson;
- Histórico familiar de depressão;
- Problemas bioquímicos, como a presença de determinadas substâncias no cérebro, gerados por problemas na tireoide, por exemplo;
- Situações de estresse, mudanças significativas de vida, insegurança financeira, exposição à violência e ausência de condições dignas de vida;
- Sedentarismo (ausência de exercícios físicos);

- Vulnerabilidade psicológica decorrente de traumas como abusos físicos, sexuais ou emocionais, entre outros;
- Luto pela perda de uma pessoa amada e outros problemas pessoais como sensação de isolamento, expulsão da família ou de grupos sociais, baixa autoestima e pessimismo exagerado etc.;
- Transtornos psiquiátricos e de personalidade;
- Abuso de substâncias legalizadas e ilícitas;
- Uso de medicamentos como isotretinoína (para tratar a acne), interferon alfa (antiviral) e corticoides (anti-inflamatórios).

A DEPRESSÃO TEM CURA?
Com o diagnóstico correto, acompanhamento profissional e tratamento adequado, a pessoa com depressão pode esperar uma melhora significativa do quadro, com o controle dos sintomas e a retomada de uma vida saudável.

SINAIS DE DEPRESSÃO

Não é fácil determinar se você está com depressão, pois ela pode ser confundida com apenas um momento prolongado de tristeza. Sendo assim, é preciso ficar atento a alguns sintomas ou condições que podem indicar uma crise ou processo depressivo. O autoconhecimento e a atenção aos sinais físicos e psicológicos são essenciais, dado que fornecem informações valiosas para que um médico psiquiatra realize o mais assertivo diagnóstico para cada caso. Não deixe também de escutar as pessoas ao seu redor, pois elas podem oferecer pistas de muito valor.

Uma vez que você tenha alguma suspeita, busque ajuda profissional de médicos psiquiatras e psicólogos. Quanto mais cedo, melhor. Veja alguns sinais de alerta aos quais é importante ficar atento:

- Cansaço e indisposição – Vivemos em um momento histórico que favorece a agitação e o estresse. Estudo, trabalho, tarefas domésticas e relacionamentos preenchem cada vez mais espaço no cotidiano. Sendo assim, estar cansado no fim do dia é totalmente normal. Fique atento, porém, quando a indisposição afetar atividades prazerosas, que você curta fazer. No lugar da diversão, o isolamento e a inatividade tomam conta.
- Tristeza e choro constantes – Se você está se sentindo triste por mais de quinze dias seguidos, pode estar em uma situação de depressão. Fique atento ao que está causando a tristeza e se seu humor mudou repentinamente. A pessoa com depressão perde a autoestima e sente cada vez menos

vontade de executar suas tarefas. Em alguns casos, pode ser acometida por choro compulsivo e sem motivo aparente.
- Mudanças bruscas no apetite – Pessoas com depressão podem tanto deixar de comer ou passar a abusar de certos alimentos, o que implica perda e ganho de peso, respectivamente.
- Alterações no sono – Aparição repentina de sintomas como dificuldade para dormir ou ter sonolência excessiva, acordar facilmente durante a noite ou não se sentir bem ao acordar. A depressão ataca diretamente a qualidade do sono.
- Dores sem motivo aparente – Aparição de dores nos ombros e pescoço, cólica, pressão no peito e enxaqueca.
- Baixo desempenho mental – O cérebro é duramente afetado pela depressão, causando problemas para tomar decisões e falta de concentração, por exemplo.

COMPLICAÇÕES
Além de alguns sinais de alerta já mencionados, como cansaço, insônia e falta de concentração, sem tratamento adequado, a pessoa com depressão pode ter seu sistema imunológico afetado, o que contribui para inflamações e desenvolvimento de outras doenças. O quadro também pode provocar disfunção sexual, isolamento grave, aumento da desesperança, perda de sentido e de razões para viver, e, nos casos mais severos, pode levar a pensamentos suicidas.

SINTOMAS

A depressão vai muito além da tristeza. Trata-se de um quadro grave, com efeitos mentais e físicos sobre o doente. Sem o devido tratamento, esses sintomas se tornam duradouros e persistentes, agravando-se com o tempo.

SINTOMAS MENTAIS POSSÍVEIS

- Dificuldade para dormir e insônia – Como a depressão é um problema que afeta bastante o cérebro, ela pode facilmente afetar o sono; os problemas para dormir acabam tornando o sono uma experiência ruim em vez de revigorante. Alguns tipos específicos de depressão podem ter o efeito contrário, causando sono excessivo, conforme veremos no próximo capítulo;
- Falta de concentração e de memória – Atenção dispersa e esquecimento de coisas simples com facilidade;
- Falta de energia ou fadiga – Tudo se torna mais complicado e cansativo para quem está com depressão. Situações que propiciavam prazer se tornam sem importância;
- Desesperança ou pessimismo – Os pensamentos negativos tomam conta do cotidiano, fazendo com que o depressivo perca as esperanças e só enxergue o lado ruim de tudo;
- Inquietude – Apesar da falta de energia e de disposição, a pessoa com depressão tem dificuldade de ficar parada ou sentada, justamente por não conseguir se acalmar e manter pensamentos positivos;
- Insegurança – Os pensamentos negativos atingem em cheio a pessoa doente, fazendo com que perca a confiança em si mesma;

- Irritabilidade – Tudo parece irritar o doente;
- Movimentos e fala lentos – A depressão deixa a pessoa com os reflexos mais lentos e com maior dificuldade de articulação;
- Novos medos – A continuidade do pensamento negativo inibe o sentimento de esperança, substituindo-o por medos e angústias que não existiam antes;
- Pensamentos de morte ou desejo de suicídio – Um dos piores efeitos da depressão é fazer com que a pessoa se sinta tão mal a ponto de querer pôr fim à própria vida;
- Perda de interesse ou prazer pela vida e em atividades de lazer – A falta de interesse em tudo é grande o suficiente para tirar o prazer de determinadas atividades outrora desejadas e fruto de alegrias;
- Perda ou aumento de apetite – A dieta da pessoa fica desregulada pelo aumento ou diminuição em demasia de seu apetite;
- Humor deprimido na maior parte do tempo – Com frequência diária e duração por muitos dias consecutivos;
- Raciocínio mais lento – A tomada de decisões e atitudes são diretamente afetadas.

SINTOMAS FÍSICOS POSSÍVEIS

- Azia;
- Constipação;
- Dores de barriga;
- Dores de cabeça;
- Flatulência;
- Má digestão;
- Imunidade baixa, abrindo espaço para outras doenças;
- Pressão no peito;
- Tensão na nuca e nos ombros.

TIPOS DE DEPRESSÃO

A depressão pode ser classificada em algumas subcategorias. Determinados sintomas são comuns a várias categorias, mas elas também podem apresentar características próprias, assim como causas distintas.

EPISÓDIO DEPRESSIVO (OU DEPRESSÃO CASUAL)

É o quadro em que se encaixa a pessoa que durante certo período apresenta sensível alteração em seu comportamento. Os sintomas incluem desânimo, falta de energia, iniciativa e prazer; alterações no sono e no apetite; insatisfação geral com a vida; e sentimento insistente de tristeza sem causa definida. É uma mudança repentina no comportamento, cada vez mais comum no cotidiano agitado de grandes cidades. Para ser classificado como depressão casual, o episódio deve durar até seis meses aproximadamente, podendo o quadro se agravar e evoluir para outros tipos de depressão.

DISTIMIA

Forma de depressão leve, mas contínua. Muitas vezes confundida com mau humor, provoca perda de interesse nas atividades diárias, falta de esperança, diminuição da produtividade e baixa autoestima, sentimentos críticos que se convertem em reclamação e incapacidade de se divertir. O quadro deve durar no mínimo dois anos para entrar nesta categoria.

DEPRESSÃO PROFUNDA (TRANSTORNO DEPRESSIVO MAIOR)

Um dos quadros depressivos mais recorrentes. Quadro grave com duração de sintomas por período maior do que seis meses.

Nesse estágio de evolução da doença, as mudanças químicas no funcionamento do cérebro se tornam mais severas. Costuma aparecer após os trinta anos e requer medicação.

DEPRESSÃO ATÍPICA

Episódios melancólicos, com instabilidade emocional e falta de esperança com relação à vida, pensamentos relacionados à morte e sensação de inutilidade. Há falta de energia, aumento do apetite e do sono e humor apático. Uma das características distintivas desse tipo de depressão é a melhora súbita do humor em decorrência de algum acontecimento considerado positivo. A recuperação, no entanto, é temporária.

DEPRESSÃO PÓS-PARTO

Ocorre logo após o parto, causando tristeza e desesperança nas mulheres e afetando seu estado emocional, as quais experimentam alterações de humor e crises de choro após o nascimento do bebê. A necessidade de suprir as demandas do bebê gera insegurança e medo; sensação de culpa, choro constante, tristeza e melancolia, dificuldade de interagir e criar vínculos com o bebê são indicadores de uma possível depressão pós-parto. Se durar mais de dez dias, deve-se buscar ajuda médica. Não confundir com o chamado *baby blues*, condição que mais de 80% das mulheres enfrentam depois do parto, em razão das alterações hormonais decorrentes da conclusão da gravidez. Essa situação é caracterizada por sintomas leves de depressão e de ansiedade. O *baby blues* não atrapalha as tarefas que a mulher deve desempenhar, pois, apesar de estar melancólica, consegue executar suas atividades rotineiras. A depressão pós-parto configura uma condição mais grave, com sintomas como tristeza, exaustão e ansiedade que impedem a mulher de tomar conta de si mesma e do bebê recém-nascido.

DEPRESSÃO PSICÓTICA

É um tipo de depressão grave, mas raro, no qual os sintomas de tristeza são acompanhados por sintomas psicóticos, na forma de delírios, vozes, alucinações e crenças fixas perturbadoras.

TRANSTORNO AFETIVO SAZONAL

Transtornos de humor relacionados às estações do ano. É um tipo de depressão causado por influência externa. Tem como exemplo clássico a diminuição de luz natural e o encurtamento do dia (que desequilibra o metabolismo enzimático e hormonal) durante o inverno, principalmente em países longe dos trópicos, nos quais o inverno é bem rigoroso. Descumprimentos de metas e balanços de fim de ano também podem contribuir para seu aparecimento. Causa mais sono, ganho de peso e humor desregulado, além de tristeza profunda.

DEPRESSÃO BIPOLAR

Nome dado aos episódios depressivos de pessoas que sofrem com o transtorno afetivo bipolar, doença caracterizada por mudanças bruscas de humor, em que o paciente oscila de ciclos de tristeza profunda a euforia sem controle. A depressão bipolar (episódios de tristeza) possui os mesmos sintomas de outros tipos de depressão, sendo bem diferentes dos sintomas da fase de euforia (episódios de mania), na qual ocorre agitação, obsessão por determinados assuntos, impulsividade, aumento de energia, desatenção e hiperatividade.

DEPRESSÃO ADOLESCENTE

Manifesta-se nesse período de grandes transformações do corpo e possui os mesmos sintomas da depressão profunda: choro sem motivo aparente, dores de cabeça e baixo rendimento nas atividades cotidianas, o que, nesse caso, pode afetar o desempenho escolar. Também é caracterizada por muita irritabilidade. Ocorre mais em adolescentes com ansiedade, hiperatividade e quadros de abuso de drogas.

DEPRESSÃO INFANTIL

Semelhante à depressão na adolescência. Os sintomas mais comuns são irritabilidade, mau humor, tristeza e isolamento. Pode decorrer de fatores como maus-tratos e abusos, além de outros traumas e rejeições emocionais.

DEPRESSÃO NA MENOPAUSA

Provocada pelas grandes alterações hormonais dessa fase da vida das mulheres. Costuma causar irritabilidade e cansaço, além de problemas de saúde como gastrite e cefaleia.

TRANSTORNO DISFÓRICO PRÉ-MENSTRUAL (TDPM)

Depressão feminina que se manifesta antes da menstruação. É um tipo de tensão pré-menstrual (TPM) que afeta o desempenho das atividades cotidianas. Não é considerado um episódio depressivo por ser curto, mas possui os mesmos sintomas de outras categorias da doença.

DEPRESSÃO REATIVA

Causada por eventos específicos como assédios, falecimento de entes queridos, problemas financeiros, rompimento de relacionamentos amorosos ou qualquer outra situação que provoque muito estresse. Causa insônia, falta de apetite e abatimento.

DIAGNÓSTICO

Uma vez que os sintomas indicam um quadro depressivo, o que fazer? Há certas indicações muito relevantes a serem seguidas. A primeira e mais importante entre elas é buscar ajuda médica – psiquiátrica e psicológica. Vamos falar mais sobre isso adiante. Outras atitudes que devem ser tomadas são:

- Manter-se ativo e praticar exercícios físicos (apesar do desânimo insistente ou falta de energia);
- Interagir com outras pessoas sempre que possível;
- Buscar aproximação de outras pessoas, ainda que por meio de mensagens ou chamadas de vídeo;
- Ser receptivo à ajuda externa;
- Não tomar decisões muito importantes durante crises depressivas.

Uma vez que a pessoa busca ajuda especializada, profissionais como psicólogos e psiquiatras tomam uma série de ações para fazer o diagnóstico correto.

A primeira abordagem feita é a entrevista, que tem várias funções: análise dos sintomas apresentados, reunião de informações sobre histórico de vida da pessoa e de sua família, incluindo possíveis traumas anteriores e condição atual. É nesse momento que se monta um longo quebra-cabeça com informações sobre sintomas, causa, duração de crises, tempo de convivência com o problema e outros fatores. Também é feita uma análise do histórico médico, assim como exames físicos e neurológicos. Exames de sangue, por exemplo, mostram se há um problema na tireoide, situação que pode contribuir para o desenvolvimento da depressão.

COMO AJUDAR ALGUÉM COM DEPRESSÃO

Você tem algum amigo próximo ou familiar que parece ter depressão? Saiba que você pode desempenhar uma grande ajuda no tratamento de quem está sofrendo com esse mal. Para começar, pode alertar a pessoa sobre o fato de que há algo de errado e sobre os sinais percebidos por você, como uma mudança brusca de comportamento, ânimo ou humor.

A comunicação é essencial nesse momento: ouça o que a pessoa tem a dizer, preste atenção às suas palavras e valorize o que ela diz. Nunca diminua a pessoa ou menospreze sua condição. Tenha paciência e não a pressione. Procure entender o ponto de vista dela e ajude-a a compreender o que está acontecendo.

Sempre recomende a ajuda de um profissional da saúde e tenha empatia, já que se trata de uma doença com diversas abordagens possíveis de tratamento.

Incentive a pessoa nos momentos difíceis e esteja ao lado dela sempre que puder. Não pense que se trata de preguiça, falta de vontade ou imaginação da pessoa e busque o máximo possível de informações confiáveis para ficar a par de tudo, dos sintomas ao tratamento e mudanças necessárias de estilo de vida.

Também **nunca** diga frases como:
- "Faça algo para superar isso";
- "Pense positivo";
- "Você não precisa de médicos ou de remédios";
- "A culpa é sua";

- "Amanhã você estará melhor";
- "Você está exagerando, não é tão ruim assim";
- "Sei o que você está passando, já me senti assim".

PROCURE AJUDA!
Se você sentir que precisa de ajuda, se está tendo pensamentos suicidas ou apenas deseja conversar com alguém, entre em contato com o Centro de Valorização da Vida (CVV) pelo telefone 188 ou pelo link <https://www.cvv.org.br/quero-conversar/>. O atendimento é totalmente sigiloso, profissional e pode ajudar muito em caso de crises graves.

TRATAMENTO

A depressão é tratável: de 80 a 90% dos pacientes reagem bem ao tratamento. Por meio de análise médica profissional e especializada, planeja-se o tratamento adequado. Caso alguma abordagem não forneça respostas, converse com o médico responsável pelo tratamento e manifeste sua insatisfação, pois só os médicos envolvidos no acompanhamento dos pacientes podem realizar mudanças no curso do tratamento. Algumas pessoas precisam de tratamento de manutenção ou prevenção para que o quadro seja amenizado. O tratamento medicamentoso associado à psicoterapia é comprovadamente eficaz na maioria dos casos.

O alívio dos sintomas é o grande objetivo, pois ainda não há uma cura definitiva. O possível é fazer com que a vida de quem sofre se torne o mais normal possível, sem recaídas. Por isso a importância do diagnóstico e do tratamento realizado por um profissional da saúde.

Veja alguns tipos de tratamento disponíveis:

- Psicoterapia - É indicada para tratamento de grau leve da depressão. Em níveis mais intensos, o tratamento com psicoterapia deve estar acompanhado de medicação. O psicólogo ajuda o paciente a entender e trabalhar os fatores que desencadeiam a condição. No processo, busca a redução dos sintomas. Há a psicanálise freudiana (trabalha o autoconhecimento e se concentra em trazer os problemas do inconsciente para o consciente), a junguiana (leva em consideração o que é reprimido no inconsciente e passa a tratá-lo por meio de símbolos e imagens) e a lacaniana (realiza associação livre de palavras até chegar ao núcleo do ser). Além dessas, que são as mais difundidas, também há outras abordagens teóricas.

- Terapia cognitivo-comportamental (TCC) – Abordagem focada na resolução de problemas do presente, pois ajuda a pessoa a reconhecer o pensamento distorcido e disfuncional e, assim, mudar comportamentos e pensamentos; concentra-se em problemas específicos e na melhor forma de saná-los. A terapia cognitivo-comportamental entende que a visão da pessoa sobre as coisas influencia seus sentimentos e comportamentos. Logo, se a depressão pode causar uma visão distorcida sobre si mesmo, essa terapia mostra um novo jeito de pensar sobre si mesmo, sobre o mundo e sobre o futuro, ajudando a fortalecer o otimismo.
- Terapia de ativação comportamental – O terapeuta cria um plano com passos para a reconexão do paciente com a realidade. É um método de recondução da pessoa ao seu cotidiano, para recuperar a capacidade, a vontade e o prazer em realizar ações e tarefas.
- Terapia eletroconvulsiva (ECT) – Usada desde cerca de 1940, é uma técnica voltada para tratamento de depressão grave ou transtorno bipolar sem resposta a medicamentos e a outros tratamentos. A técnica usa administração de pequenas correntes elétricas que passam pelo cérebro, desencadeando uma breve convulsão. O objetivo é a mudança na química cerebral em busca de reverter sintomas de certos transtornos mentais. É feito por um grupo de profissionais e indolor, pois o paciente se encontra sob efeito de anestesia e relaxantes musculares.

- Prática de exercícios físicos – Uma forma bastante saudável de tratamento, que, aliada à psicoterapia, pode ajudar a dispensar o uso de medicamentos. Ajuda no equilíbrio hormonal e pode ajudar a recuperar a sensação de prazer. Podem ser realizadas diversas modalidades, como corrida, natação ou esportes coletivos. Trata-se de uma abordagem bastante saudável, principalmente se aliada a uma dieta balanceada e ao abandono do uso de drogas lícitas e ilícitas.
- Participação em grupos de apoio – Reunião de pessoas com depressão que se encontram em âmbito virtual ou presencial. É um local para ouvir e ser ouvido por pessoas que compartilham de sensações e experiências semelhantes. O lema dessa abordagem é ajudar e ser ajudado.
- Uso de medicação – É bastante comum haver a prescrição de antidepressivos para um quadro de depressão, visando equilibrar quimicamente os processos executados pelo cérebro. A dose é determinada pela evolução do quadro do paciente ao longo do tratamento, que pode variar de semanas a meses.

Os remédios reduzem os sintomas da depressão, ajustando o sono, o apetite e a capacidade de concentração, entre outros efeitos. O tratamento não pode ser interrompido por conta própria. Mudanças de medicamento ou na dose também só podem ser feitas pelo médico responsável, que pode ajustar o tratamento em caso de baixa eficácia ou do aparecimento de efeitos colaterais, de acordo com o caso. Os antidepressivos levam, em média, de duas a quatro semanas para fazer efeito. Veja algumas das substâncias mais usadas:

- Amitriptilina;
- Buspirona;
- Cinarizina;
- Citalopram;
- Clomipramina;
- Clonazepam;
- Duloxetina;
- Escitalopram;
- Fluoxetina;
- Lorazepam;
- Mirtazapina;
- Paroxetina;
- Sertralina;
- Trazodona.

Os antidepressivos funcionam da seguinte maneira: agem em moléculas conhecidas como monoaminas, que, em nosso organismo, funcionam como neurotransmissores, transmitindo sinais nervosos aos seus receptores no cérebro, e estão envolvidas na regulação do humor. As principais monoaminas no sistema nervoso humano são a serotonina (regula humor, apetite, memória, comportamento social e desejo sexual), a norepinefrina (estado de alerta e função motora) e a dopamina (tomada de decisões, motivação e excitação). Uma vez que a quantidade dessas moléculas é considerada abaixo do normal em pacientes com depressão, os antidepressivos aumentam sua quantidade de maneiras diferentes e distintas.

QUANDO A INTERNAÇÃO É NECESSÁRIA?
Dependendo da evolução das crises depressivas e de uma eventual baixa resposta ao tratamento, uma internação hospitalar pode ser indicada pelos médicos para acompanhamento e controle feitos mais de perto por parte dos profissionais da saúde (médicos, enfermeiros e psiquiatras).

SINAIS DE RECUPERAÇÃO

Alguns fatores indicam a reação positiva da pessoa que seguiu rigorosamente o tratamento com medicação e orientações médicas:
- Alimentação ajustada, sem falta ou excesso de apetite;
- Recuperação da capacidade de concentração, facilitando a desenvoltura no trabalho e nos estudos;
- Diminuição dos pensamentos negativos, especialmente os suicidas;
- Humor normal, equilibrado;
- Sinais de que a pessoa voltou a conseguir se sentir feliz mesmo sem motivo aparente, e bem consigo mesma;
- Sono saudável, sem dificuldades para adormecer, insônia ou hipersonia (sono excessivo);
- Retomada da busca por interação social, vontade de sair de casa e frequentar diferentes locais agradáveis;
- Aumento da libido e vontade de estar perto do parceiro ou parceira.

COMO EVITAR RECAÍDAS

Superar uma crise de depressão é importante, assim como trabalhar na prevenção de crises futuras. Seguir toda e qualquer orientação do médico ou profissional de saúde responsável pelo seu caso é o primeiro passo para se manter longe da depressão.

É preciso continuar seguindo o tratamento, se necessário, e nunca fazer ajustes ou usar remédios por conta própria. É importante manter-se sempre em contato com o médico, principalmente se os sintomas voltarem. Bebidas alcoólicas e outros tipos de drogas devem ser eliminados da rotina.

Exercícios físicos, técnicas de relaxamento (meditação e ioga), inclusão de atividades prazerosas no dia a dia, alimentação saudável (mas sem deixar de comer, com moderação, aquilo de que gosta) e hidratação também são importantes.

Dependendo do grau de depressão e do histórico da pessoa, há sempre a chance do aparecimento de novas crises, portanto é importante trabalhar ativamente para a manutenção do bem-estar, evitando excesso de trabalho, sedentarismo e outros comportamentos que possam afetar a saúde mental.

APLICATIVOS

A tecnologia pode ser uma aliada no combate à depressão. A seguir, listamos 5 aplicativos gratuitos disponíveis para dispositivos móveis com iOS (Apple) e Android (Google):

FLOW – DEPRESSION
Baseado nas últimas pesquisas em psicologia e neurociência, este aplicativo "conversa" com os usuários todos os dias e oferece técnicas de autoajuda, recursos de rastreamento de humor, vídeos educativos, meditação e exercícios mentais.

QUERIDA ANSIEDADE
Aplicativo desenvolvido com o objetivo de informar, esclarecer e proporcionar formas mais saudáveis de conviver com a ansiedade, um catalisador frequente da depressão. Permite que a pessoa mantenha uma espécie de diário e conta com diversos vídeos interessantes.

CÍNGULO – TERAPIA GUIADA
Ajuda a resolver as questões emocionais que mais atrapalham a vida e se aprimorar pelo autoconhecimento, com sessões diferentes todos os dias. Também possui diário emocional e traça várias características da sua personalidade.

COGNI
Com ele é possível anotar seus registros de pensamento (usados na terapia cognitivo-comportamental), fazer relatório das emoções sentidas e compartilhar tudo com o seu terapeuta.

7 CUPS – ANSIEDADE E ESTRESSE

Pensado para quem está se sentido preocupado, triste, estressado ou solitário, o 7 Cups permite falar com alguém (em chats individuais, com ouvintes sempre disponíveis), acalmar-se com trezentos exercícios e melhorar o humor com atividades simples.

ALIMENTOS

Como mencionamos antes, uma alimentação saudável ajuda a evitar o desenvolvimento e auxilia no tratamento da depressão. Especialmente se incluir alimentos que possuem substâncias que contribuem para um melhor funcionamento do corpo e para o tratamento de transtornos mentais, colaborando para o bom funcionamento do organismo dos pacientes, o que gera energia e produz ânimo e bem-estar. Veja alguns exemplos de alimentos com essa capacidade:

- Hortaliças verde-escuras (espinafre, brócolis e alface) – Alimentos ricos em folato, vitamina presente no complexo B. Na alface, há substâncias como lactucina e a lactupicrina, que são calmantes naturais.
- Laranja – Rica em vitamina C. Ajuda no bom funcionamento do sistema nervoso e no combate à fadiga. Inibe a liberação do cortisol, hormônio associado ao estresse.
- Banana – Rica em carboidrato (hidratos de carbono), potássio e magnésio, a fruta ajuda a diminuir a ansiedade e a ter um sono tranquilo. Possui o aminoácido triptofano, que ajuda na produção de serotonina, gerando bom humor. Esse aminoácido também está presente em outras frutas, como melancia, abacate, mamão e limão.
- Mel – Ajuda na produção da serotonina, causando bom humor. Coma com frutas ou use para adoçar sobremesas e bebidas.
- Leite e iogurte – Possuem cálcio, mineral que ajuda a eliminar a tensão e combate a depressão.
- Carboidratos complexos (batata-doce, lentilha, feijão, pão integral e arroz integral) – Demoram mais para serem digeridos, o que ocasiona o aumento de glicemia por um período

prolongado: o corpo se sente saciado e fornece energia por um longo período. Contêm triptofano, que estimula a produção da serotonina.
- Castanha-do-pará, nozes e amêndoas – Ricas em selênio, antioxidante que reduz os radicais livres. Contribuem para a redução do estresse.
- Aveia e centeio – Possuem vitaminas do complexo B e E, que melhoram o funcionamento do intestino.
- Peixes e frutos do mar – Fonte de ômega-3 e ácidos graxos, que combatem o estresse.
- Ovos – Fonte de tiamina e niacina, vitaminas do complexo B que colaboram para o bom humor.
- Soja – Rica em magnésio. Ajuda a reduzir o cansaço e aumentar os níveis de energia. Combate o estresse, porque tem propriedades tranquilizantes naturais.
- Chocolate (meio amargo, de preferência) – Alimento que contém flavonoide, um antioxidante que contribui para a redução de inflamações. Sua matéria-prima, o cacau, possui diversos psicoativos, como teobromina, cafeína, serotonina e histamina, que estimulam as sensações de prazer, alegria e euforia.
- Chás – Se não tiverem altos níveis de cafeína (como o chá-preto e o chá-mate), ajudam na insônia e na depressão, pois as folhas possuem propriedades relaxantes e calmantes naturais. Aumentam a quantidade de hormônio do sono, a melatonina. Os mais indicados são os de cidreira, camomila e alfazema.

ALIMENTOS A EVITAR

Há alimentos que, por outro lado, devem ser evitados por fazer mal ao corpo e favorecer o aparecimento da depressão, como refrigerantes, comidas de *fast-foods*, bebidas alcoólicas e alimentos ricos em gorduras e açúcares.

REFERÊNCIAS BIBLIOGRÁFICAS

A DELICIOSA química do chocolate. *QuiD+* (Sociedade Brasileira de Química), 18 abr. 2018. Disponível em: <http://quid.sbq.org.br/a-deliciosa-quimica-do-chocolate/>. Acesso em: 9 nov. 2020.

ALIMENTOS que ajudam no combate à depressão. *Ministério da Saúde do Brasil*, 11 ago. 2014. Disponível em: <http://www.blog.saude.gov.br/index.php/34271-alimentos-que-ajudam-no-combate-a-depressao>. Acesso em: 9 nov. 2020.

AMERICAN Psychiatric Association. *Manual diagnóstico e estatístico de transtornos mentais*: DSM-5. 5. ed. Porto Alegre: Artmed, 2015.

BIENARTH, A. O que é depressão? *Veja*, 3 dez. 2019. Disponível em: <https://saude.abril.com.br/tv-saude/saude-em-90-segundos/o-que-e-depressao/>. Acesso em: 9 nov. 2020.

BRUNA, M. Depressão. *Drauzio* (UOL), 2019. Disponível em: <https://drauziovarella.uol.com.br/doencas-e-sintomas/depressao/>. Acesso em: 9 nov. 2020.

CHELLAPPA, S. et al. O sono e os transtornos do sono na depressão. *Revista de Psiquiatria Clínica*, v. 34, n. 6, p. 285-289. Disponível em: <https://www.scielo.br/pdf/rpc/v34n6/v34n6a05>. Acesso em: 9 nov. 2020.

HAIKAL, P. Existem tipos de depressão; conheça os 8 mais comuns e seus sintomas. *VivaBem* (UOL), 3 out. 2018. Disponível em: <https://www.uol.com.br/vivabem/noticias/redacao/2018/10/03/tipos-de-depressao-sintomas-e-como-identificar.htm>. Acesso em: 9 nov. 2020.

PINKERTON, J. Tensão pré-menstrual (TPM). *Manual MSD*, jul. 2019. Disponível em: <https://www.msdmanuals.com/pt-br/casa/problemas-de-sa%C3%BAde-feminina/dist%C3%BArbios-menstruais-e-sangramento-vaginal-anormal/tens%C3%A3o-pr%C3%A9-menstrual-tpm>. Acesso em: 9 nov. 2020.

ORGANIZAÇÃO Mundial da Saúde. *CID-10*: classificação estatística internacional de doenças e problemas relacionados à saúde. v. 1. São Paulo: Universidade de São Paulo, 1997.

ORGANIZAÇÃO Mundial da Saúde. *CID-10*: classificação estatística internacional de doenças e problemas relacionados à saúde. v. 2. São Paulo: Universidade de São Paulo, 1997.

ORGANIZAÇÃO Pan-Americana da Saúde. *Depressão*. 2020. Disponível em: <https://www.paho.org/pt/topicos/depressao>. Acesso em: 9 nov. 2020.

SAIBA como funciona o tratamento para depressão. *Hospital Santa Mônica*, 9 mar. 2018. Disponível em: <https://hospitalsantamonica.com.br/saiba-como-funciona-o-tratamento-para-depressao/>. Acesso em: 9 nov. 2020.

SANTOS, H. Depressão. *Biologia Net*, 2020. Disponível em: <https://www.biologianet.com/doencas/depressao.htm>. Acesso em: 9 nov. 2020.

SINTOMAS da depressão: por que a versão atípica da doença é tão perigosa. *BBC*, 25 fev. 2019. Disponível em <https://www.bbc.com/portuguese/geral-47346303>. Acesso em: 9 nov. 2020.

SINTOMAS de depressão: 13 sinais que você precisa conhecer. *Vittude Blog*, 4 jul. 2017. Disponível em: <https://www.vittude.com/blog/13-sintomas-de-depressao/>. Acesso em: 9 nov. 2020.

SINTOMAS de depressão: conheça os sinais que merecem atenção. *Eurekka*, 2020. Disponível em: <https://eurekka.me/sintomas-de-depressao/>. Acesso em: 9 nov. 2020.

TENORIO, G. Depressão: sintomas, diagnóstico, prevenção e tratamento. *Veja*, 4 dez. 2019. Disponível em: <https://saude.abril.com.br/medicina/depressao-sintomas-diagnostico-prevencao-e-tratamento/>. Acesso em: 9 nov. 2020.

TUDO sobre depressão: causas, sintomas, tratamento e o que fazer. *Instituto de Psiquiatria Paulista*, 3 jul. 2020. Disponível em: <https://psiquiatriapaulista.com.br/depressao/>. Acesso em: 9 nov. 2020.